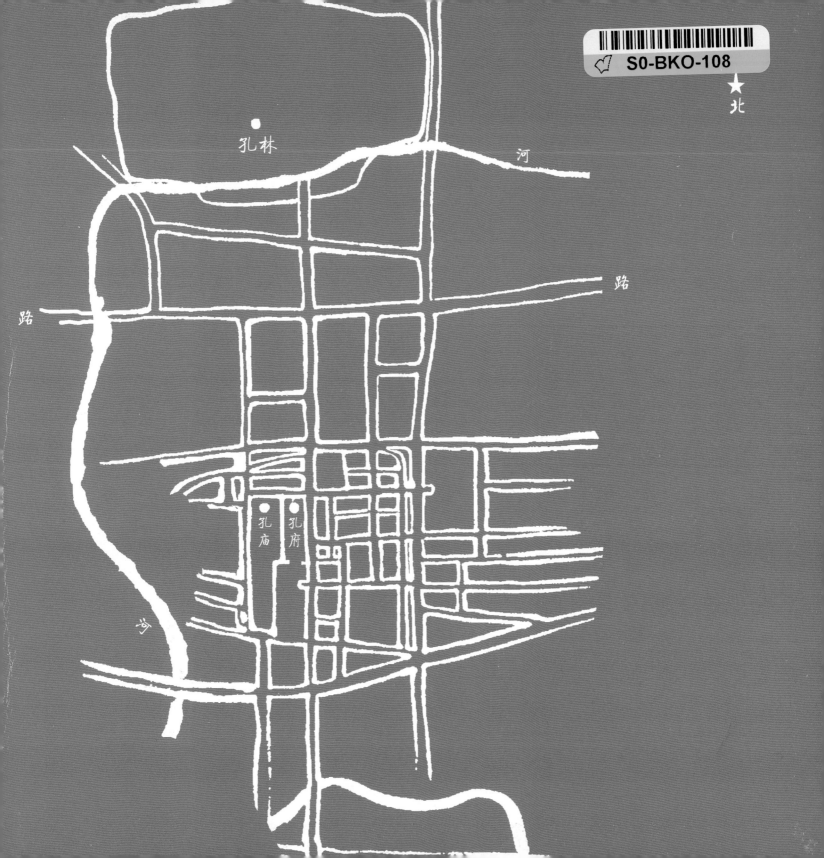

图书在版编目（CIP）数据

孔子 / 李健编绘 . -- 乌鲁木齐：新疆青少年出版社，2015.11（2017.9 重印）
（"故事中国"图画书）
ISBN 978-7-5515-5926-3/01

Ⅰ.①孔… Ⅱ.①李… Ⅲ.①儿童文学—图画故事—中国—当代 Ⅳ.① I287.8

中国版本图书馆 CIP 数据核字 (2015) 第 236762 号

First published in 2015 in English and Chinese by Better Link Press.
本书汉英对照版由上海新闻出版发展公司策划编辑。

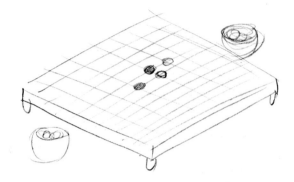

"故事中国"图画书

孔子　李 健 ◎ 编绘

出 版 人：徐 江　　　　　　策　 划：许国萍
责任编辑：许国萍　刘立娜　　美术编辑：袁心笛
法律顾问：钟　麟　13201203567（新疆国法律师事务所）

新疆青少年出版社
（地址：乌鲁木齐市北京北路 29 号　邮编：830012）

Http://www.qingshao.net　　　　E-mail:QSbeijing@hotmail.com
印　刷：北京盛通印刷股份有限公司　经　销：全国新华书店
版　次：2016 年 2 月第 1 版　　　印　次：2017 年 9 月第 4 次印刷
开　本：787×1092　1/12　　　　印　张：3$\frac{1}{3}$
字　数：3 千字　　　　　　　　　印　数：18 001—23 000 册
书　号：ISBN 978-7-5515-5926-3-01　定　价：38.00 元

"故事中国"图画书

孔 子

李 健 ◎ 编绘

CHISO SINCE 1956 新疆青少年出版社

在中国，有一个被尊称为"圣人"的人，他就是
孔子。放假了，小明一家前往曲阜，参观孔子故里。

曲阜，这个约有三千年历史的城市有著名的"三孔"——孔庙、孔府和孔林。

曲阜孔庙是中国历史最悠久的一组建筑物，也是海内外两千多座孔庙的范本。

孔府是孔子嫡系子孙居住的地方。大宅的前部用来办公，后部用来居住，它的北面有一个花园。

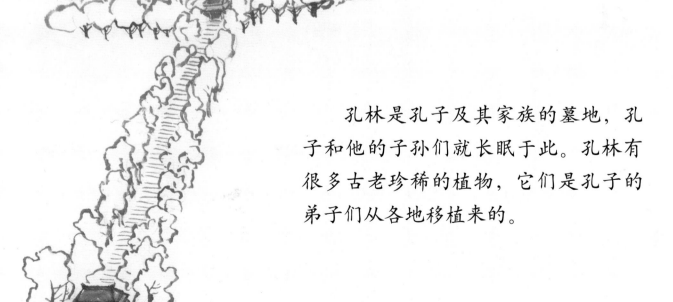

孔林是孔子及其家族的墓地，孔子和他的子孙们就长眠于此。孔林有很多古老珍稀的植物，它们是孔子的弟子们从各地移植来的。

小明一家先来到孔庙。

　　孔子的弟子们为了纪念老师，在他去世的第二年，即公元前478年，修建了孔庙。从那以后的两千四百多年间，人们对孔子的纪念活动从未停止过，孔庙也在不断扩建。

位于孔庙大成殿前的杏坛，相传就是孔子讲学的地方。孔子一生培养的弟子超过三千人。

后来，以孔子的思想为核心的儒家学派渐渐形成。儒家思想至今还影响着东亚文化。每年，人们都会举行仪式纪念孔子。

大门

重光门

参观完孔庙，小明一家来到了孔府。

后宅

巷道

巷道

在凉亭的桌子上，小明发现了一副老旧的棋盘和
棋子。好奇的他拿起一枚棋子放在棋盘上。

就在这时，奇怪的事情发生了……

　　小明跌入了一个黑漆漆的隧道。翻滚了几圈以后，他来到了一个宁静的地方。这里有几间简陋的屋子和一位老者。

　　小明赶紧上前打招呼，问老者："您好！您是谁呀？这是哪里？"

　　"你好，我是孔丘，这里是我家。"老者笑着说。

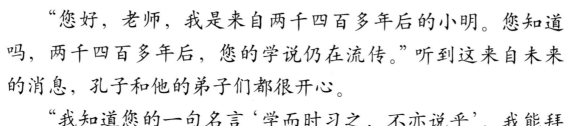

"您好，老师，我是来自两千四百多年后的小明。您知道吗，两千四百多年后，您的学说仍在流传。"听到这来自未来的消息，孔子和他的弟子们都很开心。

"我知道您的一句名言'学而时习之，不亦说乎'，我能拜您为师吗？"小明说。

孔子高兴地同意了："那我和我的弟子们就先教你'六艺'吧。"为了表示感谢，小明答应给他们讲更多关于未来的事。

第一课 礼

　　首先，小明学习了与人见面时的礼仪。孔子告诉小明，礼包括国家典礼制度和百姓的行为规范。

小明跟他们握手，并告诉他们这是未来最常用的问候方式。

第二课 乐

　　孔子告诉小明，音乐是心灵发出的声音，学习音乐能让人们身心和谐。

小明介绍了未来的人们如何欣赏用小提琴和小号等乐器演奏出的音乐。

第三课 射

　　孔子教小明射箭，并告诉小明，射箭不仅能磨炼一个人的意志，还是一种培养君子风度的方法。

小明试着向他们解释枪械如何在战争中被使用。

第四课 御

　　孔子还教小明如何驾驭马车，并告诉小明，通过驾驭马车，人们可以领悟到掌控事物的方法。

小明随后告诉他们，汽车发明以后，人们的出行方式已彻底改变。

第五课 书

孔子教小明书写文字，希望他能像自己的弟子们一样，用文字来传承思想。

小明在背包里找到一支钢笔，告诉他们未来的人们用它来写字。

第六课 数

　　在最后一课中，孔子告诉小明，对数的学习可以帮助我们解决生活中的问题及推测事物变化的规律。

小明介绍说，今天的人们用计算器一类的工具来解决数学问题。

　　孔子告诉小明，六艺是学生要掌握的六种基本技能。小明一边学习，一边照相，以免忘记所学的内容。

孔子和弟子们觉得这个小盒子能把人装在里面，简直太不可思议了。

不知不觉，天就黑了。
学习了一天，小明趴在棋盘上睡着了。

醒来后，小明发现自己回到了凉亭。他迫不及待地想给爸爸妈妈讲讲自己新学到的知识，给他们一个惊喜。

知识点

孔庙大门

孔庙碑座

孔庙大成殿

孔庙杏坛

孔庙十三碑亭

孔林石像生

论语

《论语》记录了孔子及其弟子的言行。

三人行，
必有我师焉。

知之为知之，
不知为不知，
是知也。

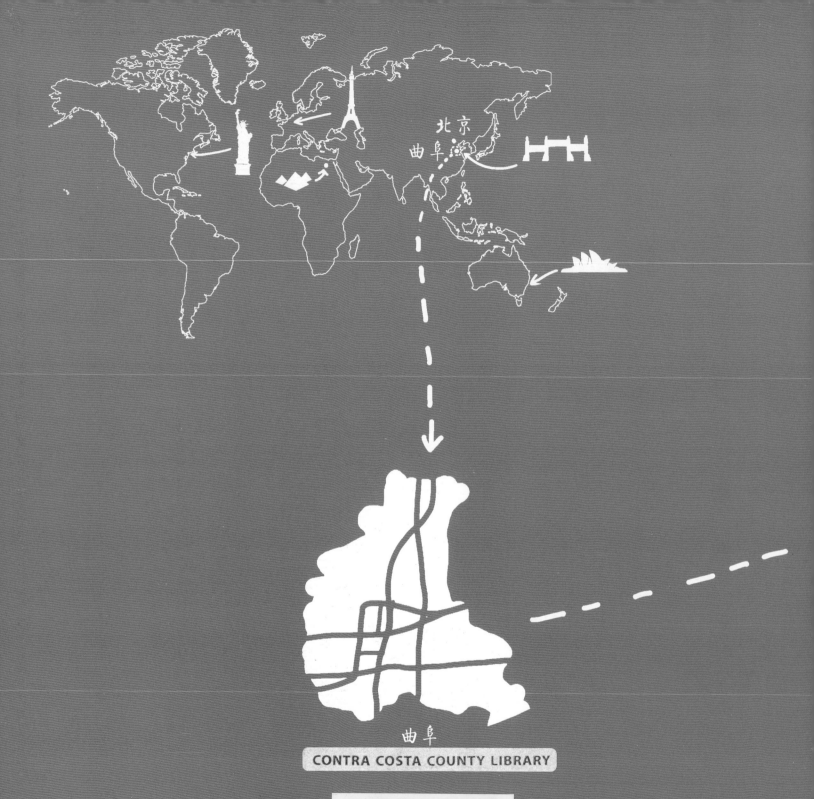

北京
曲阜

曲阜

CONTRA COSTA COUNTY LIBRARY